Body Art

HAAR

Paul Dowswell

Corona
Ars Scribendi Uitgeverij

Oorspronkelijke titel Hair Decoration

Productie De Laude Scriptorum bv, Etten-Leur, NL

Vertaling Piet de Bakker

Zetwerk ROOS dtp-service, Velp (G)

ISBN 978-90-5566-284-5

Fotoverantwoording
De uitgever wil de volgende personen en instellingen danken voor de toestemming die ze gaven voor het gebruik van hun foto's:

Art Archive/Archeological Museum Bagdad/Dagli Orti pag. 9 boven;
Bridgeman Art Archive pag. 22;
Bridgeman Art Archive/Giraudon pag. 26;
Bridgeman Art Library/Ali Meyer pag. 8;
Camera Press pag. 25 boven;
Camera Press/Rajesh Bedi pag. 19;
Camera Press/A. Boot pag 17;
Camera Press/ Nick de Morgoli pag. 21;
Camera Press/Richard Stonehouse pag. 28;
Corbis/Earl & Nazima Kowall pags. 18 en 20;
Corbis/Roger Ressmeyer pag. 4;
Getty Images/Imagebank pag. 29;
Hulton Archive pag. 12;
Imagestate pag. 6;
Mary Evans Picture Library pags. 5 en 24;
Panos Pictures/Trygve Bolstad pag. 15;
Panos Pictures/Gianni Muratore pag. 23 boven;
Rex Features pags. 13, 16, 23 onder, 25 onder, 27 onder;
Rex Features/Sipa Press pag. 11;
Science Photo Library pag 27 boven;
Still Pictures/Magnus Andersson pag. 14;
Topham Picturepoint pag. 7;
Werner Forman Archive pag 9 onder;
Werner Forham Archive/British Museum Londen pag. 10.

Omslag: Portretfoto van een punk, met toestemming van Getty Images/Photodisc.

De uitgevers danken Jenny Peck, curator van het Pitt Rivers Museum, Universiteit van Oxford, voor haar hulp bij de totstandkoming van dit boek.

Er is alle mogelijke moeite gedaan om eventuele copyright-houders te achterhalen. Eventuele omissies zullen, als de uitgevers daarvan in kennis worden gesteld, worden gerectificeerd in een volgende druk.

Let wel
Alle internetadressen (URL's) die op deze pagina's worden vermeld, waren geldig bij het ter perse gaan van dit boek.
Als gevolg van het dynamische karakter van het internet is het mogelijk dat enkele adressen na het uitkomen van dit boek zijn gewijzigd of dat sites zijn veranderd of opgeheven.
De schrijver en de uitgever betreuren het als dit voor de lezer ongemak veroorzaakt, maar noch de schrijver, noch de uitgever kan zich voor zulke veranderingen aansprakelijk stellen.

Inhoud

Vetgedrukte woorden worden uitgelegd in de verklarende woordenlijst op pagina 31.

De wereld van het haar

'Ons kapsel zegt, net als de kleren die we dragen, meer over ons dan we zelf denken.'
Dylan Jones, modejournalist

De wereld van het haar

Haar is een duidelijk en in het oog springend onderdeel van iemands voorkomen.
Al vanaf de eerste geschreven bronnen hebben mensen haardracht gebruikt om te laten zien dat ze bij een bepaalde groep hoorden of een zekere **status** hadden. In de manier waarop iemand zijn haar heeft gekapt zit ook iets persoonlijks: iemand kan er iets mee tot uitdrukking brengen of zich er gewoon prettig mee voelen. Bijna iedereen wil zich aan de wereld laten zien met haar dat zijn gezicht goed laat uitkomen en dat zelfvertrouwen geeft.

In dit boek kun je lezen en zien hoe kapsels in de loop der tijden veranderd zijn en dat haardrachten van honderd en zelfs van duizend jaar geleden soms weer terugkomen.

Trends

Tot 500 jaar geleden hadden mensen uit Europa, Amerika, Afrika en Azië nauwelijks of geen contact met elkaar, en hadden alle volken een eigen haardracht.

Deze Japanse punker heeft zijn van nature zwart haar roze geverfd zoals punks in de jaren zeventig en tachtig deden. Tegenwoordig laten jongeren zich inspireren door kapsels uit allerlei landen en culturen.

Vroeger bepaalden koningen, koninginnen en **aristocraten** wat in de mode kwam.
Uit afbeeldingen op oude Griekse vazen hebben **archeologen** kunnen vaststellen hoe mensen in die tijd hun haar droegen. Wat de Britse koningin Elizabeth I of de Franse koning Lodewijk XIV droegen bepaalde de mode aan het hof.
Het kon echter maanden duren voordat die doorgedrongen was in de kringen van de rijken en machtigen elders in het land. En de verspreiding van het ene hof naar het andere, bijvoorbeeld van het Oostenrijkse naar het Spaanse, kon maanden of zelfs jaren duren. Het waren eigenlijk alleen de rijken die de mode konden volgen.
Aan schilderijen of poppen kon men zien wat in de mode was.

Knippen

Haar wordt gewoonlijk geknipt met een schaar, gesneden met een mes of geschoren met een scheerapparaat. Elke manier van knippen geeft een ander resultaat. Met een tondeuse krijg je bijvoorbeeld kort stekeltjeshaar. De schaar werd rond 1500 v.Chr. uitgevonden. Voor die tijd werd haar geknipt met een scherp stukje metaal of een scherp geslepen steen. Au! Dit is de schaar van een vrouw uit de tijd dat de Merowingen regeerden over het Frankische rijk (± 450-750).

Haar nu

In onze tijd verspreiden trends en modes zich heel snel. We kunnen David Beckhams nieuwste kapsel meteen nadat hij geknipt is zien.
Na het tijdperk van de grote ontdekkingen en de massale **migratie** van het ene deel van de wereld naar het andere, zijn we veel meer te weten gekomen over stijlen en modes van andere culturen.
In onze tijd kunnen we overal om ons heen de meest uiteenlopende stijlen, kleuren en haardrachten zien, waarvoor mensen zich door verschillende culturen hebben laten inspireren. En wordt druk geëxperimenteerd met verfstoffen, verschillende manieren van vlechten en krullen.

Het in de jaren dertig populaire Amerikaanse kindsterretje Shirley Temple met een pop die dezelfde, veel geïmiteerde pijpenkrullen heeft als zij.

Haar en wie je bent

Aanwijzing voor je identiteit

De hele geschiedenis door zijn kapsels in Europa gebruikt om te laten zien dat iemand tot een bepaalde sociale groep behoorde. Dat gaat nog steeds zo. Denk maar aan de pruik van een rechter, of aan het modieuze kapsel van popsterren. Niemand ontkomt eraan. Ook al heb je het meest onopvallende kapsel of doe je niets aan je haar, ook daar geef je een signaal mee af: ik doe niet mee aan de mode. Kapsels zeggen niet alleen iets over iemands status, maar zijn soms ook een indicatie voor iemands beroep, geloof of muzikale voorkeur. In sommige culturen maakt een verandering van de haardracht deel uit van een **overgangsrite**, en kun je aan het kapsel zien in welke levensfase iemand zich bevindt.

Haar als aandenken

In het Victoriaanse Engeland knipte men overledenen een stukje haar af als aandenken. Dat werd wel in de vorm van een strik of bloem gedragen als een soort rouwsieraad.

Haarstijlen laten zich vaak inspireren door mode en kunnen uitdrukking geven aan iemands geloof of ideeën. De **tonsuur** van priesters is daar een goed voorbeeld van, net als het ongeknipte haar van **orthodoxe joden** waardoor zij meteen als zodanig herkenbaar zijn.

Eerste indruk

Je gezicht en je haar bepalen mede wat voor indruk je op anderen maakt.
Onze vooringenomenheid ten aanzien van de haardracht is zo sterk dat veel mensen anderen daarop beoordelen.

We zijn geneigd te vinden dat haardracht iets zegt over het beroep dat iemand heeft. Zo zijn kantoormensen vaak netjes geknipt, net als piloten, politieagenten, bankbedienden en anderen die in de dienstensector werkzaam zijn, omdat hun baan dat nu eenmaal eist. Profvoetballers en popmusici hebben veel meer vrijheid om met hun kapsel hun individualiteit tot uitdrukking te brengen.

Deze Australische snowboarder draagt zijn haar hetzelfde als Amerikaanse snowboarders en skaters die met deze sporten zijn begonnen.

'Het enige praktische nut van haar is dat mensen er mee willen aangeven wat voor persoon ze zijn, of tot welke sociale groep of welke stam ze horen.' **Ted Polhemus**, sociaal historicus

Modeparade

Een bepaalde haardracht scheidt niet alleen een bepaalde groep van de rest van de samenleving, maar is ook een duidelijk visueel teken aan andere, gelijkgestemde individuen. Duidelijk voorbeelden hiervan zijn de verschillende soorten jongerencultuur. Surfers, skateboarders en snowboarders laten met hun kapsel zien van welke muziek ze houden en hoe ze in het leven staan. Vaak staan sporthelden of popsterren model voor het kapsel dat jongeren dragen. Fans worden in tijdschriften en kranten voortdurend op de hoogte gehouden van de nieuwste trends.

Amerikaanse mariniers hebben allemaal een kaalgeschoren kop. Dat is bij dit legeronderdeel een ongeschreven wet.

Identiteitsparade

In vroeger eeuwen droegen soldaten en zeelieden pruiken of lang haar, en aan hun kapsel kon je zien tot welk regiment ze hoorden. In de achttiende eeuw droeg het Royal East Kent Regiment lichtgele (buff) pruiken, en droegen de Royal Horse Guards blauwe (blue) pruiken. Ze worden daarom nog altijd de Buffs en de Blues genoemd, ook al dragen ze natuurlijk al lang geen pruiken meer. In de negentiende eeuw hadden alle Britse soldaten een snor. Jonge soldaten die nog geen snor konden laten groeien moesten er een op hun bovenlip tekenen! Dat klinkt voor ons nogal raar, maar het was toen heel belangrijk omdat het de onderlinge kameraadschap en loyaliteit bevorderde. En in het heetst van de strijd kon je in één oogopslag zien of je met een vriend of vijand van doen had.

Ga naar de kapper!

Om de onderlinge individuele verschillen weg te nemen hebben in vele landen alle soldaten kort haar en dragen ze allemaal hetzelfde uniform. Met zijn gemillimeterde haar laat de nieuwe **rekruut** zien dat hij zich onderwerpt aan de discipline van het leger. Dat heeft een **psychologisch** effect: omdat alle rekruten kortgeknipt haar hebben lijken ze allemaal op elkaar en valt niemand op door zijn haardracht. In Nederland is in principe de haardracht voor militairen vrij, maar bij buitenlandse missies moeten ze zich aanpassen aan de daar heersende gewoontes.

Haar in vroeger tijden

Vroeger tijden

Hoe mensen heel vroeger hun haar droegen kunnen we opmaken uit afbeeldingen op oude potten en sieraden. Een van de oudste voorwerpen waarop duidelijk een bepaalde haardracht te zien is, is de Venus van Willendorf, een in Oostenrijk gevonden vrouwenbeeldje uit ongeveer 25.000 v.Chr. Het is waarschijnlijk gebruikt tijdens godsdienstrituelen.
Het beeldje vertoont geen duidelijke gelaatstrekken, maar wel een kapsel met mooi gevlochten haar. Het moet destijds veel geduld en tijd gevergd hebben om dit kapsel te maken.

Beschaafde krullen

Ook uit beschavingen als die van de Soemeriërs (4000-3000 v.Chr.) en de Babyloniërs (2000-500 v.Chr.) bij de Perzische Golf zijn voorwerpen bewaard gebleven met bijzondere kapsels, in de vorm van stenen beeldjes en **reliëfs** waarop zowel mannen als vrouwen met krullen staan afgebeeld. Op Soemerische beeldjes staan vrouwen uit de hogere rangen afgebeeld met hun haar in een knotje of met vlechten. Vrouwen uit lagere rangen zijn afgebeeld met gewoon lang haar, met soms een eenvoudige houten diadeem of haarband van stof om het haar uit hun gezicht te houden. Archeologen denken dat mensen die van zichzelf geen krullen hadden metalen krultangen gebruikten. Uit dezelfde tijd zijn ook beeldjes van vorsten bewaard gebleven met baarden met krullen. Haar werd geverfd met **pigmenten** als oker (variërend van rood tot geel) en pyrolusiet (zwart).

De Venus van Willendorf is 25.000-27.000 jaar oud. Het is het oudste beeldje met een duidelijke haardracht. Het beeldje is in 1908 door archeoloog Szombathy gevonden bij het Oostenrijkse plaatsje Willendorf in der Wachau.

Tijd is geld

Mensen met macht en geld droegen graag kapsels waaraan veel tijd en aandacht besteed moest worden. Ze wilden daarmee laten zien dat ze over de tijd en middelen beschikten om zich uitgebreid door bedienden of slaven te laten kappen. Opvallend daarbij is dat in oude beschavingen mensen die op de velden werkten en ander handwerk deden vaak een kaal geschoren hoofd hadden. Ook toen er ingewikkelder samenlevingen en steden kwamen bleef er een link bestaan tussen status en haardracht.
Nu nog steeds dragen mensen - David Beckham bijvoorbeeld - met hun haardracht de boodschap uit dat ze (veel te) veel tijd en geld hebben.

WIST JE DAT

Rijke Soemerische mannen en vrouwen soms stofgoud over hun haar strooiden omdat het dan zo mooi schitterde in het zonlicht?

Soemerisch beeldje uit ongeveer 3000 v.Chr. van een man. Aan zijn baard en haar kun je zien dat hij rijk was. Ook rijke Soemerische vrouwen droegen een mooi verzorgd modieus kapsel.

OUD KAPPERSGEREEDSCHAP

De oudste voorwerpen om je haar mee te versieren dateren uit 4000 v.Chr. Op begraafplaatsen en in woonplaatsen uit die tijd heeft men kammen, haarspelden, haarklemmen en haarsieraden gevonden. Deze waren meestal van ivoor of bot gemaakt, soms ook wel van goud of zilver, en er staan vaak afbeeldingen in gekerfd. De plastic haarspelden en clips van tegenwoordig hebben nog steeds vrijwel dezelfde vorm. Aan de zorg en aandacht waarmee het haar gekapt is kun je afleiden dat mensen ook toen al hun uiterlijk heel belangrijk vonden. Met je haardracht gaf je immers aan tot welke stand je hoorde.
Deze ivoren kam uit Egypte dateert uit ongeveer 3000 v.Chr.

Egypte, Griekenland en het oude Rome

Het oude Egypte

In de tijd van het oude Egypte (ongeveer 3000-30 v.Chr.) kon je aan iemands kapsel zien hoe belangrijk hij was. Koningen, priesters en aristocraten droegen allemaal verschillende kapsels en baarden. Koningin Hatsjepsoet droeg zelfs een valse baard als ze zich in het openbaar vertoonde, omdat de baard een belangrijk symbool van koninklijke macht was. Er bestonden wetten die gewone mensen verboden hun haar op een bepaalde manier te dragen.

Hooggeplaatste Egyptenaren droegen op hun kaal geschoren hoofd een pruik van echt haar. Daar zaten vaak gouddraden en andere versieringen doorheen geweven. In het warme Egyptische klimaat was het lekker om je hoofd kaal te scheren. Dat voorkwam bovendien luis. Met pruiken kon je onvolkomenheden verbergen en je haar dikker laten lijken. Dik haar vond men (en vindt men nog steeds) aantrekkelijk.
Er waren ook minder dure pruiken van mensenhaar en plantenvezels. We weten heel veel over Egyptische pruiken omdat er veel terug gevonden zijn in graftomben. Ze werden goed verzorgd met oliën, geurige bloemblaadjes en kaneel. Boeren en gewone stadsmensen moesten het met hun eigen haar doen.

Muurschildering van een rijke Egyptische vrouw met mooi verzorgd haar.
Waarschijnlijk heeft ze haar eigen haar afgeschoren en draagt ze een pruik. Op haar hoofd een kruikje met oliën die haar verkoeling moesten brengen.

Haarverzorging in Egypte

De oude Egyptenaren vonden het net als wij niet fijn om grijs te worden.
Men dacht dat men het haar met een mengsel van koeienbloed, zwart slangenvet en raveneieren glanzend zwart kon houden.
Moderne haarspoelingen hebben de vorm van een crème of vloeistof die uit allerlei chemische stoffen bestaan.
Als je op de verpakking kijkt zie je dat daar stoffen als propeenglycol, ceteareth-20, zwavel en azijnzuur in zitten.

In de Gladiator speelt Russell Crowe de Romeinse generaal Maximus Decimus Meridius. Het kort geknipte haar en de getrimde baard waren in het oude Rome de gebruikelijke haardracht voor mannen. Mannen lieten met hun fris gekapte kop zien dat ze in een beschaafde wereld leefden, in tegenstelling tot de ***barbaren*** *met hun woeste baarden en lange haar.*

Griekenland en Rome

Modetrends volgden elkaar in het oude Rome en Griekenland (globaal 800 v.Chr.-450 n.Chr.) snel op (en doen dat nog steeds). Nu eens was kort haar, dan weer ruig lang haar de mode voor mannen. En voor vrouwen was een hoog kapsel dat met een kroon of een sjaal op zijn plek werd gehouden een terugkerende mode. Algemeen gesproken kun je zeggen dat in beide culturen de mannen kort haar hadden. We weten dat omdat er veel afbeeldingen bewaard zijn gebleven op onder meer potten, vazen, muurschilderingen, beelden, friezen en **mozaïeken**.
In de Romeinse tijd werden uit het noorden van Europa veel slaven aangevoerd naar Rome. Rijke Romeinen die een beetje genoeg hadden van hun eigen zwarte haar knipten de lange blonde haren van deze Germanen en Angelsaksers en maakten er pruiken van.
Arme Romeinen met mooi haar verkochten dat wel aan pruikenmakers. Zowel mannen als vrouwen verfden hun haar. Veel mensen verfden hun haar rood met **henna**. Maar het ging nogal eens mis met de verfstoffen. De Romeinse dichter Ovidius schreef in een heel boze brief aan zijn liefje: 'Ik heb je toch gezegd dat je die verftroep niet meer moet gebruiken. Je houdt geen haar meer over!'

Wist je dat

Julius Caesar haren op zijn gezicht er met een pincet liet uittrekken?

Haar van steen

In de Romeinse tijd gaven veel rijke vrouwen een beeldhouwer de opdracht om een marmeren buste van hen te maken. Omdat de haarmode steeds weer anders was wilden ze graag dat hun kapsel van een apart stuk marmer gemaakt werd, zodat ze het konden vervangen als een ander kapsel in de mode kwam.

BAARDEN

'Achter elke baard gaat een grote hoeveelheid kin schuil.' **Anonymus**

Baardenmode

Baarden zijn net als kapsels altijd sterk aan mode onderhavig geweest. Voor de oude Grieken en Romeinen was een gladgeschoren gezicht of een korte, mooi getrimde baard een teken van beschaving. In het oude Griekenland hadden alleen **Spartaanse** soldaten een volle baard, tot Alexander de Grote (356-323 v.Chr.) uitvaardigde dat alle soldaten zich moesten scheren om te voorkomen dat ze in de strijd bij hun baard werden gepakt.

BAARDEN EN GELOOF

In sommige godsdiensten - **Sikhs** en het orthodoxe joodse geloof bijvoorbeeld - staat de baard die mannen dragen symbool voor het geloof dat ze belijden. In het Indiase Rajasthan dragen **Hindoes** prachtige krulsnorren en volle baarden om hun geloofsovertuiging uit te dragen.

Een baard kan ook een teken zijn van een bepaalde politieke overtuiging. In de jaren twintig en dertig van de twintigste eeuw droegen veel aanhangers van Mussolini's **fascistische** partij een zogenaamde Balbobaard, genoemd naar fascistenleider Italo Balbo.

Baarden kunnen ook hevige emoties uitlokken. 'Vertrouw nooit mannen met baarden, die hebben iets te verbergen', is een vaak gehoorde opmerking. De Russische **tsaar** Peter de Grote (1672-1725) was een groot hervormer, die van Rusland een moderne staat wilde maken. Hij wilde baarden verbieden, omdat die volgens hem een symbool van ouderwetse opvattingen waren. Toen dat niet lukte liet hij dragers van baarden extra belasting betalen.

Psycholoog Robert J. Pellegrini heeft eens gezegd dat 'een baard een man het imago geeft van een onafhankelijke, vastberaden en vindingrijke pionier die tot veel dingen in staat is en altijd klaar staat om die dingen ook uit te voeren'. Algemeen gesproken kun je zeggen dat baarden bijna altijd beschouwd zijn als een teken van mannelijkheid. Bijna altijd. In het Engeland van Victoria en Edward bijvoorbeeld, werden baarden geassocieerd met negentiende-eeuwse kunstenaars en was het **verwijfd** om een baard te dragen.

Graaf Italo Balbo (1896-1940) was een fascistenleider in het Italië van Mussolini. In de jaren twintig en dertig gingen veel Italianen gekapt, gesnord en gebaard als Balbo.

Baarden en status

In het oude Egypte mocht alleen de adel een baard dragen, terwijl in de hoogste kringen van het oude Griekenland mannen zich juist weer schoren. In het oude Egypte kon je aan iemands baard zien dat hij tot de hoogste kringen hoorde, of een koning was.
De omvang van de baard werd bepaald door de status die iemand had. Hooggeplaatste vrouwen droegen in het openbaar een kunstbaard als teken van hun macht.

Niet meer in de mode

In Europa, Australië en Noord-Amerika verdween de baard in de periode 1920-1950 vrijwel geheel uit het straatbeeld. Baardloze filmsterren zetten in die tijd de trend. In de jaren vijftig lieten jongemannen met een sikje zien dat ze bij de opkomende **beatniks** wilden horen.
De sik bedekte de bovenlip en de kin. In de jaren zestig lieten **hippies** hun haar en hun baard groeien om te laten zien dat ze niets met de gevestigde orde te maken wilden hebben. In de jaren tachtig droegen veel mannen een George Michael-baardje. Dat werd vreemd genoeg ook heel populair in het bank- en verzekeringswezen, waar een ongeschoren gezicht voor die tijd toch gezien werd als een teken van ongewenste onverzorgdheid.

Popster George Michael zette met zijn kapsel en zorgvuldig getrimde baard in de jaren tachtig de trend.
Zijn bijna-baard werd met een speciaal trimapparaatje op de juiste lengte gehouden.

Baarden nu

Een baard wordt tegenwoordig niet meer gezien als een uiting van tegendraads gedrag, hoewel een baard in sommige kringen nog steeds een teken van opstandigheid is. Zo maakte de sik in de jaren negentig en het begin van deze eeuw zijn comeback. Met name in de muziekwereld, waar een aantal popmusici er weer eentje ging dragen.

'Hij die een baard heeft is meer dan een jongeman, en hij die er geen heeft is minder dan een man.' William Shakespeare in Much ado about nothing, tweede acte, eerste bedrijf.

AFRIKA

Vlechten

Afrika is een continent met de meest uiteenlopende culturen. Je komt er dan ook heel veel verschillende kapsels tegen. De Peoel van de Fouta Djallon in Guinea dragen hun haar in lange bladvormige vlechtjes. Mannelijke Masai-krijgers hebben een ingewikkeld kapsel van soms meer dan 400 vlechtjes in staartjes samengebonden met een stukje schapenleer. Het kost soms wel 20 uur om zo'n kapsel te maken.

Net als in andere landen en culturen bestaat er ook hier vaak een verband tussen iemands haardracht en zijn plek in de samenleving. Ook overgangsriten spelen een rol. In sommige culturen hebben vrouwen voor elke levensfase een ander kapsel, en kun je aan het haar zien of ze getrouwd zijn of niet, en of ze moeder zijn, of weduwe. Bangwa-vrouwen uit het westen van Kameroen moeten hun hoofd kaal scheren als ze trouwen, maar moeders van tweelingen mogen hun haar lang laten groeien.

Iets te vieren

In sommige delen van Afrika wordt het haar op een bepaalde manier gedragen als er iets te vieren is. De Hamar in het zuiden van Ethiopië maken een zogenaamde `boro' als ze gewassen gaan planten of na een geslaagde jacht. Met hulp van een vriend of partner wordt het haar dan op een heel ingewikkelde manier opgemaakt. Het wordt geknipt en in vlechtjes gedaan. Daarna wordt een deel van het hoofd ingesmeerd met klei en versierd met veren. Jongeren moeten dan hun mooiste veren soms afstaan aan oudere mensen.

De Mangbetu-stam

De meest bijzondere haardracht is waarschijnlijk die van de Mangbetu-vrouwen in Zaïre. De Mangbetu vinden een langgerekte schedel heel mooi. Ze binden de schedel van baby's in met boomschors of dierhuiden om die een langgerekte vorm te geven. Het haar ligt in vlechtjes dicht tegen de schedel en loopt uit in een koker die aan het eind de vorm van een schoteltje heeft.

Jonge Samburu-krijgers doen hun haar in kleine vlechtjes en smeren die in met rode oker. Dit doen ze tot ze ongeveer twintig zijn.

WIST JE DAT

Hamarvrouwen hun haar insmeren met oker, boter en acaciagom? Daardoor lijkt het net of het haar in vlechtjes bij elkaar gebonden is.

Haar omwinden met een draad is van oorsprong West-Afrikaans en wordt in Afrika al eeuwen gedaan. De stijl wordt Onigi (Yoruba voor stokje) genoemd omdat het haar rechtop als een stokje op het hoofd komt te staan.

Cornrows en threads

Overal in Afrika kom je twee haarstijlen tegen: cornrowing en threading. Bij cornrowing wordt het haar dicht tegen de huid zodanig in vlechtjes samengebonden dat er allerlei patronen ontstaan. Er worden vaak ook kralen en andere versieringen mee gevlochten. Bij threading worden lokken haar omwonden met een draad, waardoor ze eruit komen te zien als een soort grote stekels (zie kader). Beide stijlen kom je tegenwoordig overal op de wereld tegen.

THREADING

Als je deze populaire West-Afrikaanse stijl wilt uitproberen heb je het volgende nodig: een kam, een schaar, een draad in de kleur van je haar en haarolie.

- Kam je haar en verdeel het in een stuk of zestien strengen.
- Doe om elke streng een elastiekje.
- Neem een streng, smeer die in met olie en draai hem rond.
- Knip een meter draad af en wind dat om de streng, te beginnen bij de haarinplant.
- Maak aan het eind een knoop in de draad en knip de rest van de draad af.

ZWART HAAR

Zwarte mensen

Overal op de wereld leven zwarte mensen. Uit Afrika afkomstige zwarte mensen hebben gezorgd voor de verspreiding van allerlei Afrikaanse kapsels.
Ook bekende zwarte popmusici hebben een belangrijke bijdrage geleverd aan de verspreiding.

De Amerikaanse zangeres Macy Gray met een echt ouderwets afrokapsel.
Het ziet er prachtig uit en ze lijkt er veel groter door dan ze in werkelijkheid is.

Het afrokapsel

Bij het afrokapsel staat het haar als een breed uitgewaaierde bol om het hoofd.
In Afrika komen allerlei verschillende soorten haar voor, maar het bekendst is toch het kroeshaar waar je zo'n mooi afrokapsel van kunt maken. Het afrokapsel is een echt Amerikaans fenomeen uit de jaren zeventig van de vorige eeuw, dat bekendheid kreeg door mensen als Stevie Wonder.

HOE JE EEN AFROKAPSEL KRIJGT

Wrijf je haar in met wat olie.
Neem telkens een plukje haar en kam dat naar je schedel toe uit.
Dan breekt het niet en doet het minder pijn om het uit de knoop te halen.
Duw als je alles gedaan hebt het kapsel in een mooie ronde bol.

Dreadlocks

Een heel andere haardracht is die van de dreadlocks. Dreadlocks zijn lange dikke krullen van ongekamd haar. Ze zijn oorspronkelijk afkomstig uit het Jamaica van de jaren dertig. Maar tegenwoordig kom je ze overal in Noord-Amerika en Europa tegen. Het kapsel is ook in Afrikaanse landen als Ghana, Tanzania en Zimbabwe heel populair.

'When de Dread show 'im locks, de faint heart drop.' is een bekende Rastafari-zin uit de jaren zeventig.

Dreadlocks werden oorspronkelijk gedragen door rastafari's, een religieuze sekte uit Jamaica. Aanhangers geloven dat ze het uitverkoren volk zijn en teruggevoerd zullen worden naar Ethiopië in Afrika door Haile Selassie (1892-1975), die volgens hen niet echt gestorven is. Rasta's dragen dreadlocks als teken van hun geloof.
Deze makkelijk herkenbare haardracht is populair gemaakt door de Jamaicaanse reggaester en rastafari Bob Marley. Over de oorsprong ervan bestaan verschillende verklaringen. Een ervan is dat het een imitatie is van de haardracht die door Ethiopische krijgers werd gedragen, en weer een nabootsing was van de manen van een leeuw. Een andere verklaring is dat de haardracht is geïnspireerd op een bijbeltekst in Numeri 6:5: `Ook mag zijn hoofd niet door een scheermes worden aangeraakt; gedurende de hele periode dat hij aan de Heer gewijd is, is hij heilig en moet hij zijn hoofdhaar laten groeien.' Natuurlijk is niet iedereen met dreadlocks een rastafari, veel jongeren dragen ze gewoon omdat ze het mooi vinden of omdat het mode is.

WIST JE DAT

dreadlocks (`schriklokken') zo heten omdat ze de vijand van de rastafari's angst in moeten boezemen?

Zwart haar nu

Met moderne haarverzorgingsmiddelen kun je van alles aan je haar veranderen: lengte, dikte, kleur, textuur enzovoort. Veel popsterren veranderen regelmatig van kapsel. De popgroep Destiny's Child is daar een goed voorbeeld van. Ze verfden en krulden hun haar dat het een lieve lust was, en maakten ook gretig gebruik van **hair extensions**. Zo ruilde Beyoncé Knowles haar vlechten in voor lange blonde haren en had Kelly Rowland opeens stekeltjes.

Door het internationale succes van reggaester Bob Marley eind jaren zeventig werden het rastafari-geloof en dreadlocks heel populair.

Haar en geloof

Zichtbare verschillen

Iemand kan met zijn haardracht uitdrukking geven aan zijn geloof. Verschillende godsdiensten hebben een eigen traditionele haardracht ontwikkeld, waardoor ze zich onderscheiden van andere godsdiensten. Sikhs bijvoorbeeld scheren zich niet en knippen ook hun haar niet maar stoppen het onder een **tulband**. Heilige Hindoes daarentegen scheren soms hun hoofd kaal bij wijze van rituele reiniging. Hindoejongens laten hun haar groeien. Ze knippen het pas als ze toetreden tot de wereld der volwassenen en offeren het dan aan een god. **Hare Krishna's** scheren zich kaal als teken van hun geloof. In de **islam**wereld is het gewoonte om hoofd en haar te bedekken met een tulband of fez (voor mannen), of een hoofddoek (vrouwen). Sommige **moslim**vrouwen bedekken hun hele hoofd als ze in een openbare ruimte zijn, waardoor helemaal niets van hun haar te zien is.

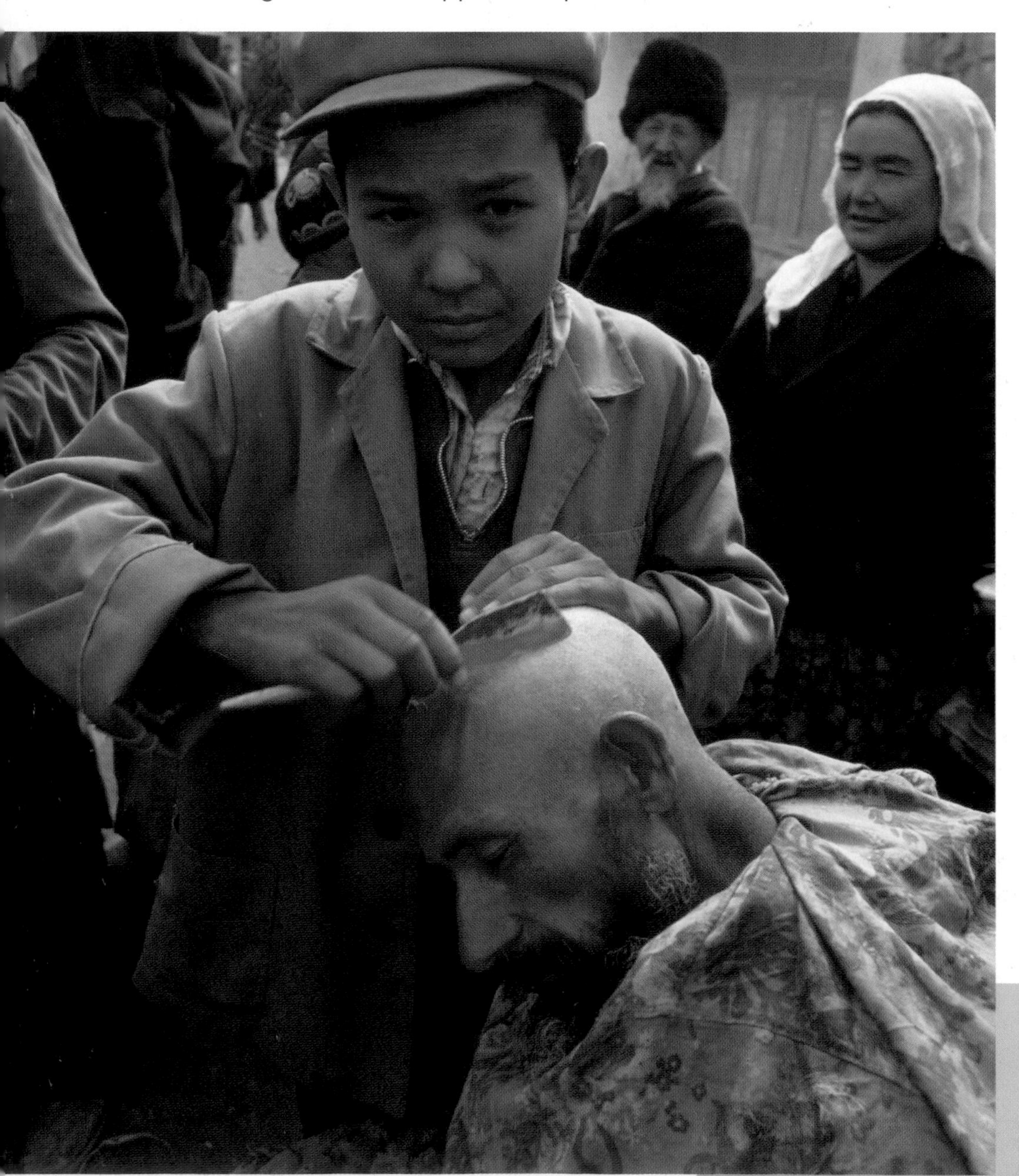

Haar wegstoppen

De hele geschiedenis door heeft haar in verschillende culturen een belangrijke rol gespeeld als het ging om de schoonheid van het vrouwelijk geslacht. Er zijn soms strenge regels opgesteld, meestal op grond van godsdienstige opvattingen, over het laten zien van haar door vrouwen. Veel moslims vinden het ongepast voor vrouwen om in het openbaar hun haar te laten zien. In de middeleeuwen (500-1500) raadde de christelijke kerk in Europa vrouwen aan hun haar met een kapje te bedekken. Nonnen moesten hun haar zelfs afscheren. Joodse vrouwen die hun haar los laten hangen of het onbedekt laten worden vaak ook afkeurend bejegend.

Deze jonge kapper scheert het hoofd van een moslimgelovige ter voorbereiding op het vrijdaggebed in Karghalik in de Chinese provincie Xinjiang.

Deze hindoe-gelovige heeft zijn hoofd kaal geschoren als een symbolische reinigingsdaad alvorens een bad te nemen in de heilige rivier de Ganges, die in het noorden van India door de stad Varanasi loopt. Uit de hele wereld komen hindoes in deze heilige rivier baden. Ze geloven dat het water hen reinigt van hun zonden.

Trouw aan de traditie

Voor veel mensen is het belangrijk uiting te geven aan hun geloof, met bijvoorbeeld hun haardracht. De Amish zijn wederdopers uit Pennsylvania, Ohio en een aantal andere Amerikaanse staten.
Ze hechten veel waarde aan een eenvoudige levensstijl, en maken dat onder meer kenbaar met hun haardracht.
De mannen hebben heel kort haar, net als de eerste wederdopers die in de achttiende eeuw van Europa naar Amerika trokken.
Vrouwen hebben lang loshangend haar, met een scheiding in het midden, en dragen een hoedje met een bandje onder de keel. Meisjes dragen hun haar van jongs af aan in een vlecht, tot ze volwassen zijn.

Hadj

**De hadj is een pelgrimstocht naar Mekka die moslims minstens één keer in hun leven moeten maken.
Na zo'n bezoek aan Mekka beginnen ze als het ware weer met een schone lei omdat hun zonden dan zijn uitgewist.
Veel mannen scheren hun hoofd kaal voordat ze op pelgrimage gaan.
Vrouwen doen dat op symbolische wijze door een stukje haar af te knippen.**

China en Japan

Chinese tradities

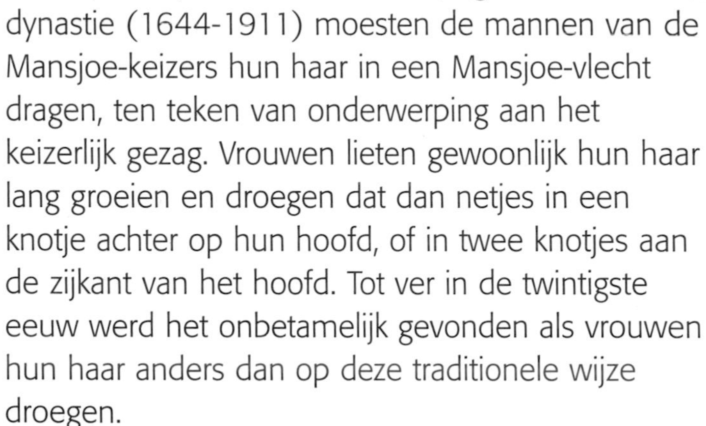

De geschiedenis van de haarstijlen in de grote culturen van China en Japan lijkt nauwelijks te zijn veranderd. Tijdens de Chinese **Qing**-dynastie (1644-1911) moesten de mannen van de Mansjoe-keizers hun haar in een Mansjoe-vlecht dragen, ten teken van onderwerping aan het keizerlijk gezag. Vrouwen lieten gewoonlijk hun haar lang groeien en droegen dat dan netjes in een knotje achter op hun hoofd, of in twee knotjes aan de zijkant van het hoofd. Tot ver in de twintigste eeuw werd het onbetamelijk gevonden als vrouwen hun haar anders dan op deze traditionele wijze droegen.
In een groot land als China waren wel verschillen in haarstijl. In Xinjiang bijvoorbeeld droegen vrouwen hun haar in een lange paardenstaart, met munten, kralen en andere versieringen. Deze haardracht bestaat nog steeds.

Revolutie

Toen China zich meer open begon te stellen voor invloeden van buitenaf gingen vrouwen, en met name actrices, korter haar dragen. Tijdens de Burgeroorlog en de Revolutie (1927-1949) hadden heel veel vrouwen kort haar omdat dat makkelijker schoon te houden en te verzorgen was. De jaren die volgden kenmerkten zich door een **repressieve** houding van de **communistische** regering.
Er waren strenge regels waar mensen zich aan dienden te houden. Westerse haardracht werd als **decadent** beschouwd. Maar kort haar mocht, en veel vrouwen bleven net als vroeger hun haar in twee vlechten dragen.

China heeft zich aan het begin van de eenentwintigste eeuw meer opengesteld dan ooit. Chinezen mogen nu zelf bepalen hoe ze hun haar willen dragen.

Tajik-vrouw uit de Chinese provincie Xinjiang. Ze draagt haar haar op traditionele wijze. Aan de grote witte knopen kun je zien dat ze getrouwd is.

Japanse stijlen

In Japan waren de Europeanen pas halverwege de negentiende eeuw welkom. Voor die tijd droegen veel mannen een lange vlecht aan de achterkant van hun hoofd, en schoren ze hun voorhoofd kaal. Japanse krijgsheren knipten hun haar aan de voorkant heel kort of schoren het af zodat hun voorhoofd hoger leek. Vrouwen uit de hogere klassen hadden een ingewikkeld kapsel van hoog opgestoken haar dat met stokjes op zijn plek werd gehouden. **Geisha's** droegen bij hun traditionele klederdracht de bijbehorende zwarte pruiken. Toen Japan in de tweede helft van de negentiende eeuw in een industriële natie veranderde gingen veel mannen hun haar op zijn kort Amerikaans dragen als uiting van hun enthousiasme over het nieuwe moderne Japan.

Geisha's

De traditionele haaropmaak van een geisha vergt uren arbeid en veel geduld. Om haar haar in een goede conditie te houden moet een geisha minstens eenmaal per week naar de kapper en mag ze niet op een kussen slapen maar op een houten blok.
Om het kapsel mooi in model te krijgen wordt het haar geolied en gewaxed alvorens het met spelden in model wordt gebracht. Om het haar voller te laten lijken wordt gebruik gemaakt van kunsthaar of van een pruik.

Mooie hals

Het hoog opgestoken haar van Japanse vrouwen is bedoeld om nek en hals mooi te laten uitkomen. Japanners vinden dit lichaamsdeel heel bekoorlijk. Eind negentiende eeuw was deze haardracht korte tijd ook heel populair in Parijs, dat zich voor de mode door stijlen uit de hele wereld liet inspireren.

Wist je dat

Ainu-vrouwen uit het noorden van Japan een snor laten tatoeëren als ze gaan trouwen?

Geisha met een mooi versierd kapsel. Ze draagt haar haar in een traditioneel knotje. Je kunt zien dat het kapsel met heel veel liefde en toewijding gemaakt is.

Noord- en Zuid-Amerika

Niet veel bekend

We weten niet zo heel veel over Amerika van voor de komst van de Europeanen eind vijftiende eeuw. Er is uit die periode heel weinig op schrift overgeleverd. De Europeanen hebben echter uitvoerig verslag gedaan van de mensen en culturen die ze er aantroffen.

Levensfasen

Noord-Amerika telt heel veel **inheemse** volken met allemaal hun eigen cultuur en tradities. De **Indiaanse** volken kenden ook verschillende haardrachten, van steil haar tot lang haar met krullen, en in allerlei kleuren.

De meest voorkomende traditionele stijl is lang haar met een scheiding in het midden dat dan vaak met een haarband uit het gezicht wordt gehouden en aan weerszijden uitloopt in twee lange vlechten. Het haar wordt vaak versierd met kralen, botjes of veren. De mannen hebben meestal geen baard.
Het haar werd met buffelvet in model gehouden. Net als in veel andere culturen kun je bij hen soms aan de haardracht zien in welke levensfase iemand is. Hopi-meisjes bijvoorbeeld hebben op een bepaalde manier opgestoken haar. Pas als ze getrouwd zijn mogen ze hun haar los laten hangen.

Foto uit ongeveer 1909 van een jonge Hopi-vrouw uit de Amerikaanse staat Arizona.
Aan haar kapsel kun je zien dat ze nog niet getrouwd is.
In heel veel culturen vind je terug dat je aan iemands haardracht kunt zien welke status iemand heeft en of iemand getrouwd is of niet.

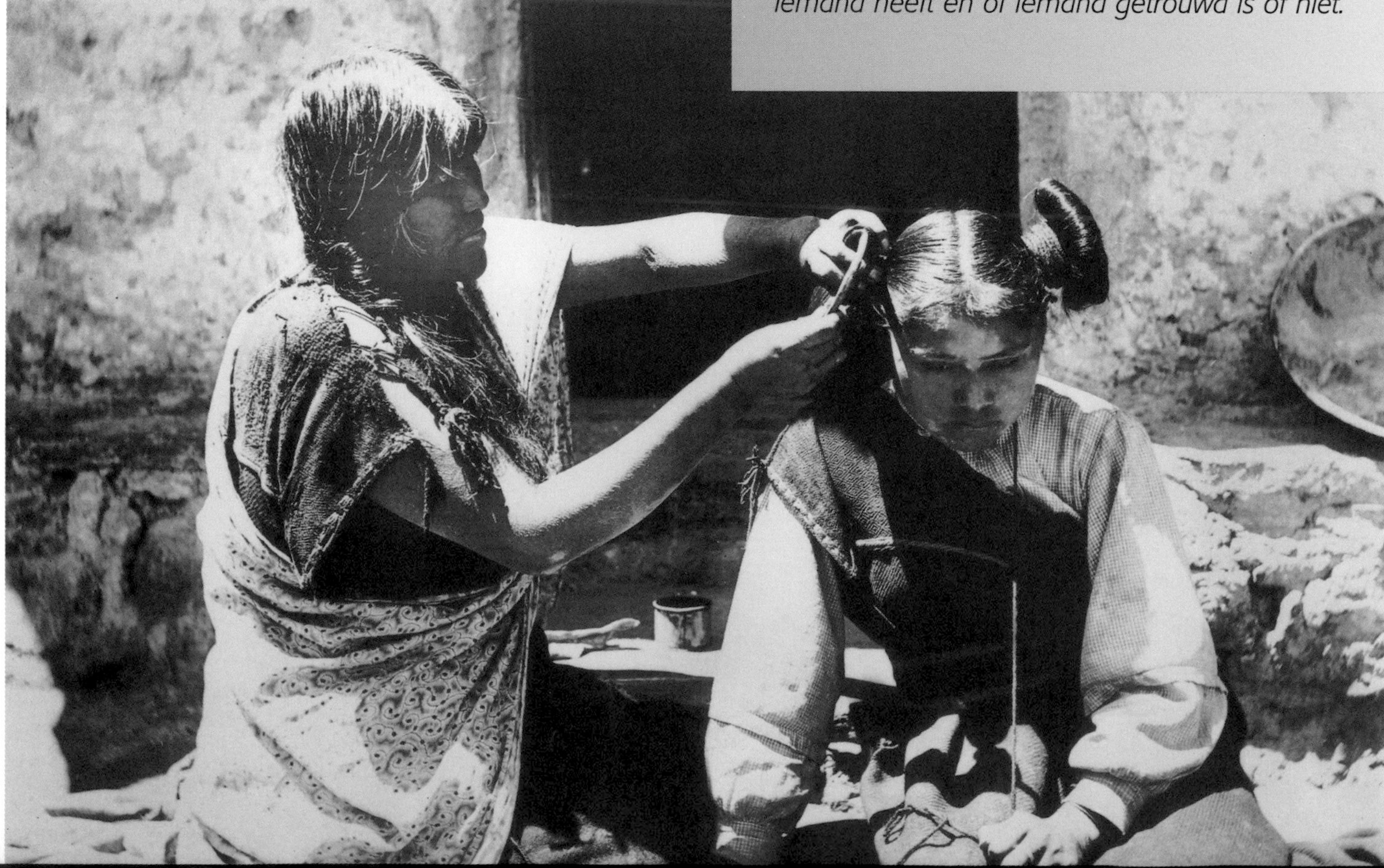

Midden- en Zuid-Amerika

Ook verder naar het zuiden, in Midden- en Zuid-Amerika, kom je verschillende soorten kapsels tegen. De Azteekse priesters in Midden-Amerika hadden heel lang, woest haar dat hun band symboliseerde met de natuurkrachten die ze met behulp van mensenoffers probeerden te beheersen. Sommige inheemse volken uit het Braziliaanse Amazonegebied laten hun haar tot over hun schouders groeien maar scheren hun voorhoofd kaal. Andere volken scheren hun hoofd helemaal kaal of dragen een soort **tonsuur**. Men vermoedt dat dat laatste de band symboliseert met de maan, die door sommige Indiaanse volken aanbeden wordt.

Wist je dat

je in Mexicaanse steden vrouwen kunt tegenkomen met nog precies hetzelfde kapsel als vrouwen in de tijd van de Azteken droegen?

Komvormig

Volken in het Xingu Nationaal Park hebben een komvormig kapsel dat ze insmeren met een rode kleurstof.

Soms worden met zwarte verf patronen op de rode kleurstof getekend.

Deze Mexicaanse straatverkoopster draagt haar haar in vlechten, met een scheiding in het midden. Dit traditionele kapsel wordt al eeuwen door Indiaanse vrouwen gedragen.

De Mohawk

Het bekendste kapsel uit de Amerikaanse geschiedenis is waarschijnlijk dat van de Mohawk of Mohikanen. Het werd oorspronkelijk gedragen door Iroquois-krijgers. Het kostte heel veel tijd om het kapsel zo te krijgen. Soms werd er dan ook een dierenvacht voor gebruikt die op zijn plaats werd gehouden met een ijzeren of tenen constructie. In onze tijd laten mensen zich meer en meer inspireren door het verleden. Amerikaanse para's dragen het Mohawk-kapsel en in 2002 liep voetballer David Beckham er een tijdje mee rond.

VAN PRUIKEN TOT HAIR EXTENSIONS

Komen en gaan

De hele Europese geschiedenis door is het een komen en gaan geweest van nieuwe haarmodes. Koning en koninginnen bepaalden de mode, die dan later populair werd en zich naar andere landen verspreidde. Kort haar werd gevolgd door lang haar, gladgeschoren gezichten door baarden en snorren.
In de **middeleeuwen** werd een hoog voorhoofd bij vrouwen elegant gevonden. Het maakte hen langer dan ze waren. Deze haardracht heeft zich over de hele wereld verspreid en is overal te zien. Bij Indiaanse volken in het Amazonegebied bijvoorbeeld, die ook hun voorhoofd kaal scheren.

Versieringen als haarkapjes, sjaals, haardoeken, vlechten enzovoort komen in verschillende culturen steeds weer terug. Toen de Franse koning Lodewijk XIV (1638-1715) een pruik ging dragen omdat hij kaal werd, zette hij een trend in die bijna twee eeuwen zou duren.

Pruiken zijn in

Pruiken komen in de meest uiteenlopende culturen voor. Ze werden door edelen uit het oude Egypte gedragen en door geisha's in Japan.
In het zeventiende- en achttiende-eeuwse Europa waren pruiken immens populair. Ze werden door verschillende beroepsgroepen in verschillende soorten gedragen. Rechters, koetsiers, handelslui, artsen, legerofficieren, al deze groepen hadden een eigen pruik waaraan ze te herkennen waren.
De pruikenmode bereikte zijn hoogtepunt aan het eind van de achttiende eeuw, in de periode voorafgaand aan de **Franse revolutie**.
Zowel mannen als vrouwen droegen toen enorme pruiken, die vaak onder de luizen zaten. Pruiken waren soms zo groot dat er een complete vaas met bloemen in paste. Grote pruiken waren in Londen zo populair dat de hoofdingang van de St Paul's kathedraal hoger gemaakt moest worden omdat pruikendragers er anders niet onderdoor konden. De pruikenindustrie beleefde een bloeiperiode, en arme mensen verdienden geld door hun haar aan pruikenmakers te verkopen.

Deze prent drijft de spot met de enorme pruiken die in de jaren voorafgaand aan de Franse Revolutie van 1789 aan het Franse hof door vrouwen werden gedragen. De revolutie maakte aan dit soort excessen een eind.

Wist je dat

luizen in pruiken zo'n groot probleem vormden dat er speciale stokjes op de markt kwamen waarmee mensen hun hoofd konden krabben zonder hun pruik af te doen?

Pruiken nu

In de twintigste eeuw gingen veel vrouwen haarstukjes dragen om mee te kunnen doen aan de heersende haarmode.
Haarstukjes worden tegenwoordig **hair extensions** genoemd. Die zijn heel populair!
Je zou ze kunnen zien als een modern soort pruik.

Dit meisje laat hair extensions aanbrengen in haar haar. Het apparaatje op de foto bevat een middel waarmee de extensions aan het haar worden vastgemaakt.
Extensions gaan twee tot drie maanden mee.

Het kan niet gek genoeg

De hele geschiedenis door zijn er mensen geweest voor wie de mode niet ver genoeg ging en voor wie het niet gek genoeg kon. Hun uiterlijk was voor hen vaak een manier om te rebelleren en zich op extreme wijze als individu te manifesteren. In het achttiende-eeuwse Engeland droegen jonge mannelijke aristocraten, die spottend Macaronis werden genoemd, enorme pruiken. Ze kleedden en gedroegen zich heel verwijfd. In Engeland droegen de zogenaamde New Romantics in de jaren tachtig soortgelijke **fatterige** kleren, en **asymmetrische** en fel gekleurde kapsels. Er vreemd uitzien was eind twintigste eeuw niet zozeer meer een kwestie van geld als wel van lef en van fantasie.

KRULLEN EN KLEUREN

Van natuurlijk naar mode

Haar heb je in allerlei soorten en kleuren. Nu eens is dit, dan weer dat in de mode want die verandert voortdurend. Kappers doen met haar tegenwoordig veel meer dan knippen alleen. Ze modelleren het naar de laatste mode.

Krullen of steil haar?

Door de geschiedenis heen hebben mensen krullen altijd heel mooi gevonden, ook in landen waar van nature krullend haar een zeldzaamheid is. Zo hebben mensen die op het Indiase subcontinent wonen zelden krullend haar. In het zuiden van India zetten mensen vaak krullen en smeerden hun haar dan in met modder. Als ze de opgedroogde modder eraf haalden hielden ze een hoofd met prachtige krullen over. Ook de Oude Egyptenaren pasten deze techniek toe. Ze wonden hun haar om stokjes, deden er modder op en lieten het in de zon drogen. Tegenwoordig doen vrouwen dat met krulspelden en een elektrische haardroger. Kappers weten precies hoe ze slagenpermanent of krullen in iemands haar moeten maken. En mensen die van nature krullend haar hebben kunnen hun haar met een chemisch goedje laten ontkrullen of ontkroezen.

Verven

Het verven van haar gebeurt al sinds de oudheid, terwijl het eigenlijk heel slecht is voor het haar. Mensen gaven hun haar een donkerder kleur met verfstoffen van bloedzuigers en azijn, en met loog kon je je haar een lichtere kleur geven. Veelvuldig gebruik van deze middelen leidde echter ook tot kaalheid en tot broos en dood haar. Kleurstoffen zijn tegenwoordig veel minder agressief en dus ook minder schadelijk voor het haar.

Botticelli schilderde zijn Geboorte van Venus *in ongeveer 1485. Venus had naar de mode van die tijd lang blond haar. Dat wordt nog steeds door heel veel mensen aantrekkelijk gevonden.*

Hoeveel haarzakjes?

Op de schedel van een mens zitten gemiddeld tussen de 90.000 en 150.000 haarzakjes. Die zijn voor elk kleur en soort haar weer anders.

De haarzakjes bepalen wat voor soort haarproducten iemand het best kan gebruiken en hoe goed die werken.

Over het algemeen hebben mensen van Aziatische afkomst minder haarzakjes op hun hoofd dan mensen met blond haar of mensen van Afrikaanse afkomst.

Poeder van de fijngemalen blaadjes van de hennaplant. Henna is een natuurlijk product dat al duizenden jaren wordt gebruikt als haarkleurmiddel.

Hoeveel kleur?

Kleurspoelingen zijn verfstoffen voor je haar die je er met shampoo weer uit kunt wassen. Ze werken alleen als ze dezelfde of een donkerder kleur hebben dan je eigen haar. Er zijn kleurspoelingen op de markt die er pas na ongeveer 24 keer wassen uit gaan. Ze bevatten geen bleekmiddelen en werken alleen om je eigen haar dezelfde of een donkerder kleur te geven.

Er zijn ook middelen waarmee je haar permanent een andere kleur kunt geven, ook een lichtere als je dat wilt. Maar dan moet je je haar minstens 1 keer per maand behandelen, omdat de kleur er anders uitgroeit.

De Amerikaanse zangeres Pink heeft haar haar in alle kleuren van de regenboog geverfd voor de uitreiking van de Music Awards van 2000.

Wist je dat

cosmeticaproducent L'Oréal haarspoelingen in meer dan 20 verschillende tinten rood in zijn assortiment heeft (in 1970 maar 2) en concurrent Clairol meer dan 40?

Een eeuw haarmode

Filmsterren

Aan het begin van de twintigste eeuw waren films nog veel populairder dan nu. Filmsterren werden mode-iconen voor het miljoenenpubliek dat een paar keer per week naar de film ging. De snor van Clark Gable inspireerde miljoenen, en talloze jonge vrouwen lieten zich in navolging van Greta Garbo een pagekopje aanmeten, of in navolging van Louise Brooks hun haar kort knippen. Filmsterren kwamen en gingen en met hen ook de modes.

De Boblijn

Een van de meest revolutionaire Europese haarmodes van de laatste eeuw was de boblijn, een kort, recht afgeknipt kapsel. Het werd voor het eerst in de jaren twintig gedragen door vrouwen, in de periode kort na de Eerste Wereldoorlog. Het zorgde destijds voor veel opschudding, omdat het heftig contrasteerde met het conventionele beeld dat men van vrouwen had. Die hoorden immers lang haar te dragen, kort haar was iets voor mannen.

Rock and roll

De laatste vijftig jaar zijn het vooral de popsterren geweest die hebben bepaald hoe mensen hun haar dragen. Elvis Presley had in 1956 zijn eerste grote hit. Binnen een paar weken was hij wereldberoemd en kopieerden miljoenen jongemannen zijn vetkuif. Begin jaren zestig waren het de Beatles en de Rolling Stones die met hun lange haar de trend zetten. Lang haar was onder popmusici en popliefhebbers de trend tot de punk eind jaren zeventig zijn intrede deed en veel jongeren een Johnny Rottenkapsel gingen dragen. Dat was veel korter, maar nog altijd lang genoeg om er met gel mooie rechtopstaande hanekammen van te maken, die in de meest bizarre kleuren als roze en groen werden geverfd.

De meiden van de popgroep Destiny's Child met allemaal een eigen kapsel.
Met de middelen die er tegenwoordig zijn is het aantal verschillende soorten kapsels dat je ziet bijna eindeloos.

Recente foto van Japanse tieners met kapsels uit de tijd van de punk, eind jaren zeventig. Het meisje links combineert verschillende haarstijlen: boven de oren opgeschoren, een ongelijke maar wel recht afgeknipte pony en bovenop met een draadje bij elkaar gebonden plukjes haar.

Rappers, dj's en popsterren hebben tegenwoordig een heel grote invloed op de haarmode van jongeren over de hele wereld.
Alesha, Sabrina en Su-Elise van de R&B-groep Mis-Teeq bijvoorbeeld hebben de meest uiteenlopende kapsels, van lange zwarte krullen tot steil rood haar, en experimenteren voortdurend met nieuwe stijlen.

Iedereen zijn eigen kapsel

We laten ons tegenwoordig door oude en moderne culturen uit verschillende delen van de werelden inspireren voor de manier waarop we ons haar dragen. Door de oude Grieken, door de Amerikaanse Mohawks, door Madonna of David Beckham, en zelfs door Harry Potter.
Er bestaan geen grenzen meer, en het aantal mogelijkheden om met ons haar te laten zien wie we zijn is bijna eindeloos.

MEER INFORMATIE

Tips voor gezond haar

- Het beste recept voor gezond haar is gezond eten. Drink veel water (minstens acht glazen per dag), eet veel proteïnerijk voedsel als vis, kaas en eieren en zorg dat je voldoende mineralen en vitaminen binnen krijgt.
- Voor gezond haar is een goede toevoer nodig van zuurstof en voedingsstoffen naar de haarzakjes. Voldoende beweging zorgt voor een goede conditie en garandeert dat je haar wat dat betreft alles krijgt wat het nodig heeft.
- Gebruik niet te veel shampoo, dat is niet goed voor je haar. Een dopje ter grootte van een druif is genoeg voor kort haar. Heb je lang haar dan is een dopje ter grootte van een walnoot meer dan genoeg.
- Gebruik verschillende soorten shampoo, anders wordt je haar resistent tegen de ingrediënten die in de shampoo zitten.
- Als je je haar wilt verven probeer het dan eerst uit met een klein plukje om te kijken wat het resultaat is. En neem dan een plukje uit de onderlaag van je haar. Dan valt het minder op, mocht je er niet tevreden over zijn.
- Sommige haarproducten kunnen huidirritatie veroorzaken. Probeer daarom iets nieuws altijd eerst uit op de huid aan de binnenkant van je elleboog. Wordt je huid rood of gaat je huid jeuken dan kun je dat product beter niet gebruiken.

Enkele websites

www.kapsels.net/haarverzorging.htm

http://haarverzorging.eigenstart.nl

www.haarcentrum.nl

http://pruiken.startkabel.nl/

Verklarende woordenlijst

archeoloog Iemand die zich bezig houdt met kennis over en studie van overblijfselen uit oude tijden.
aristocraat Lid van een regerende klasse van aanzienlijken of afstammeling daarvan.
asymmetrisch Niet symmetrisch, aan beide zijden van een denkbeeldige middellijn ongelijk.
barbaars Als van een barbaar: strijdig met onze zeden en gewoonten. In de tijd van Grieken en Romeinen werd met barbaren buitenlanders bedoeld.
beatniks Jongerenbeweging uit de jaren vijftig van de vorige eeuw die gekenmerkt werd door onconventioneel gedrag door jongelui met lang haar en afgedragen kleren.
buste Borstbeeld: beeld van alleen maar hoofd, borst en schouders van een persoon.
communistisch Uit de tijd van het communisme, een op het socialisme volgend stadium waarin het kapitalisme is uitgebannen, de productie- en consumptiemiddelen gemeenschappelijk eigendom van de burgers zijn en de klassentegenstellingen zijn opgeheven.
decadent In verval verkerend, zonder innerlijke morele kracht.
dynastie Een generaties lang aan de macht zijnde familie.
exces Uitspatting, buitensporigheid.
fascistisch Volgens het fascisme, een politiek systeem dat berust op ultranationalistische, autoritaire en onverdraagzame beginselen.
fatterig Gezegd van man die overdreven zorg besteedt aan zijn uiterlijk.
fez Opstaande platte, rode muts zonder klep, met soms een kwastje; genoemd naar de Marokkaanse stad Fez.
Franse Revolutie Opstand van de Parijse bevolking in 1789 waarbij een eind kwam aan de monarchie.
fries Versierde strook langs bijvoorbeeld lambrisering, plafond, schoorsteenmantel, of langs de bovenkant van een vaas.
geisha Betekent in Japans letterlijk `kunstzinnig persoon'; aanvankelijk Japans dienstmeisje, later ook zangeres, danseres en prostituée die met haar kunst en bevalligheid mensen moet vermaken.
hair extension Stukje echt of synthetisch haar dat in iemands eigen haar geweven wordt.
Hare Krishna Vorm van hindoegeloof gewijd aan de god Krishna.
henna Kleurmiddel uit de bladeren van de struik Lawsonia inermis L. waarmee vrouwen bij oosterse volken hun nagels en andere lichaamsdelen oranjerood verven; in het westen een kleurmiddel om haar rood te verven.
hindoe Volger van het hindoeïsme dat met name in India en Zuidoost-Azië wijdverbreid is.
hippie Jong iemand die zich door zijn onconventioneel gedrag en vredelievende levenswijze afzet tegen de heersende maatschappelijke opvattingen.
Indiaan Oorspronkelijke bewoner van Noord-, Midden- en Zuid-Amerika.
inheems In het land zelf thuishorend.
islam Een van de vijf grote wereldgodsdiensten.
jodendom Cultuur en tradities van het joodse geloof.
middeleeuws Tot de middeleeuwen (ca. 500-ca.1500) behorend, uit die tijd daterend.
migratie Verhuizen van mensen van de ene naar de andere plek.
moslim Volgeling van de islam, een van de vijf grote wereldgodsdiensten.
mozaïek Werk van steen of glas dat bestaat uit een groot aantal verschillend gekleurde kleine stukjes die met elkaar een beeld of figuur vormen.
orthodoxe joden Joodse gelovigen die streng vasthouden aan de joodse voorschriften en wetten.
overgangsrite Gebruik bij de overgang van de ene naar de andere levensfase.
pigment Kleurstof.
psychologisch Tot de psychologie behorend; de psychologie is een filosofie die zich bezighoudt met de aard en de eigenschappen van de menselijke ziel, of de wetenschap die zich bezighoudt met het onderzoek van het bewustzijn.
rekruut Nieuw aangenomen, pas opgeroepen, nog ongeoefend soldaat.
reliëf Stuk verheven beeldwerk.
repressie Onderdrukking van met name massaal optredende bewegingen, stromingen en dergelijke.
sikh Lid van een hindoesekte in Voor-Indië.
Spartaans Met strenge tucht, volgens gebruik in de stad Sparta die van grote betekenis was in de Griekse oudheid.
status Maatschappelijk aanzien.
tonsuur Geschoren hoofdkruin van priester of monnik.
tsaar Russische monarch; het woord is via het Gotische Kaiser ontleend aan het Latijnse caesar.
tulband Hoofddeksel van mohammedaanse oosterse volken: een kap met een doek daar op speciale wijze omheen gewonden en aan vastgemaakt.
verwijfd Verwekelijkt, onmannelijk.

Register